antenne

mandje van de glazenwasser

torenflat

liftdeuren

Typisch Tom

AVI: 6

Leesmoeilijkheid: Woorden met -isch, uitgesproken als -ies

Thema: Mysterie

Z ☀ 💡 🚃 📧 Zwijsen

Bies van Ede
Typisch Tom

De ruiter zonder hoofd

met tekeningen van Els van Egeraat

Bikkels

1. Gevaar uit de ruimte

Er deugt iets niet.
Er is iets helemaal niet in orde.
Heb je het ook gemerkt?
De tijd is in de war.
Het wordt steeds eerder donker, de middag is zó voorbij.
Ik zal een voorbeeld geven.
We hebben rekenen en moeten zeven rijtjes doen.
Het zijn niet eens moeilijke sommen.
Hoelang doe je over zeven rijtjes?
Ik heb er nog geen drie af en het is al tijd.
Het is veel en veel te snel tijd.
En dan de gymles!
Hij is nog niet begonnen, of hij is al voorbij.
Er deugt iets niet.
Er is iets helemaal niet in orde.
Wat is er aan de hand?

Eergisteren is er iets raars gebeurd.
Ik sliep en ik droomde, maar toch ook niet.
Ik zag sterren knipperen in de zwarte nacht.
Toen viel er een ster.
Als een speer kwam hij omlaag.
Hij víél niet ... hij vloog.
Dit was geen ster, maar een ... een ruimteschip!
De ster hing even stil in de lucht, net of hij iets zocht.

Nu ik er over nadenk, weet ik het.
Hij zocht een plek om te landen.
Ik zag de ster zigzaggen en toen was het licht uit.
Het ruimteschip was geland.
Ik zie mijn droom weer helemaal voor me.
Het was geen droom, het was echt!
Er zijn vreemde ruimtewezens geland.
Ze stelen onze tijd.
Daarom gaat alles gigantisch veel te snel.
Ik moet het ruimteschip zien te vinden.
Ik moet ontdekken hoe onze tijd gestolen wordt.
En dan, op weg uit school, zie ik het.

'Mam, er is een ruimteschip geland!'
Mijn moeder staat in de keuken.
'Dat geloof ik best, schat,' zegt ze.
Ze kijkt er op een typische manier bij.
Ik ken die manier.
Het betekent dat ze denkt: typisch Tom.
Die ziet weer een ruimteschip landen.
Maar het is echt zo.
'Het is geland op de torenflat!'
'Aha,' zegt mijn moeder.
Ik zie het zo, ze vindt me een fantast.
Dat betekent niet dat ze me fantastisch vindt.
Ze vindt dat ik te veel fantasie heb.
'Vorige week vond je een tv op straat,' zegt ze.

'Die doet het niet.
Hij staat alleen maar in de weg op je kamer.
Nu vind je weer een ruimteschip.'
Ik zucht diep en ga naar mijn kamer.
Uit het raam kan ik de torenflat zien.
Het ruimteschip staat er goed zichtbaar.
Het is niet rond, maar vierkant.
Een soort kooi is het.
De mensen op straat zien het niet.
Die geloven natuurlijk niet in ruimteschepen.
Net als mijn moeder.
Ik zet de tv die ik gevonden heb, aan.
Nadenken en tv-kijken gaan goed samen.
Vooral als de tv het niet doet.
Het scherm is zwart en het blijft zwart.
Hoe versla je een ruimteschip?
Ik denk diep en lang na.
'Kom je eten, Tom?'
'Wat eten we?'
'Erwtensoep!'
Aan tafel vertel ik niets over het ruimteschip.
Ze zullen nog wel eens opkijken.
Ze zullen merken dat ik geen fantast ben.
Zodra ik een medaille heb.
Omdat ik de wereld heb gered.
Dan zullen ze zeggen: 'Typisch Tom.
Hij is een held en we wisten het niet eens!'

Na het eten heb ik een klusje.
Mijn moeder doet de was voor opa Sjon.
Opa Sjon is niet echt mijn opa.
Het is gewoon een stokoude meneer.
Hij woont in een huisje drie straten verderop.
Opa Sjon kan nog veel zelf, maar wassen niet.
Dat doet mijn moeder dus.
Ik breng de schone was en de soep die over is.
Je moet altijd even bij opa blijven.
Kletsen over school of over vroeger.
Ik vertel hem over het ruimteschip.

Opa Sjon kijkt niet typisch.
Hij denkt niet dat ik een fantast ben.
'Er zijn vreemde dingen, Tom,' zegt hij.
'Ken jij de ruiter zonder hoofd?'
'Nee, nooit gezien,' zeg ik.
Opa Sjon loert naar buiten.
'Misschien kun je hem straks zien,' zegt hij.
'Eens in de zeven jaar is hij er.'
'O,' zeg ik, 'vandaar dat ik hem nooit gezien heb.
Zeven jaar geleden was ik pas twee.'
'Het is een spannend verhaal,' zegt opa Sjon.
Ik ga er lekker voor zitten.

2. De ruiter zonder hoofd

'Heel lang geleden,' zegt opa Sjon ...
'Hoelang geleden?'
'Toen er nog geen auto's waren.
Elektrisch licht was er ook nog niet'
Ik knik.
'Toen dus, heel lang geleden was er een reiziger.'
'Op een paard?' vraag ik.
'Ja, hij had een paard en een zware tas met geld.
Het was al laat en hij zocht een plek om te slapen.
Gelukkig vond hij een herberg.'
'Wat is een herberg?'
'Dat is een hotel van vroeger,' legt opa uit.
'De reiziger was de enige gast.
En de volgende dag ... de volgende dag ...
Werd hij wakker zonder hoofd.
De baas van de herberg had hem zijn hoofd afgehakt.
Natuurlijk was de ruiter dood.
Maar toch werd hij ook wakker.'
'Dood wakker geworden?' vraag ik.
'Ja, als spook.
En elke zeven jaar verschijnt hij.
Hij komt terug, op zoek naar zijn hoofd.'
Opa Sjon kijkt weer even uit het raam.
Nu snap ik waarom.
Hij hoopt dat hij het spook ziet.

Die ruiter zonder hoofd.
Ik zucht teleurgesteld.
Wat een stom verhaal was dit.
Spoken bestaan niet, dat weet iedereen.
Ik moest maar weer eens naar huis.
Als opa Sjon me uitlaat, zegt hij:
'Pas je op, op straat?
Je kunt niet weten of je hem tegenkomt.'
'Voor spoken ben ik niet bang, opa,' zeg ik flink.

Om halfnegen lig ik in bed.
Ik heb mijn moeder niet over het spook verteld.
Die zou haar hoofd maar schudden.

'Typisch Tom,' zou ze zeggen.
'Spoken en ruimteschepen, het houdt niet op.'
In bed denk ik na, maar er komt niet veel van.
Ik hoor opeens geluid.
Het is de tv.
Het beeld is niet meer helemaal zwart.
Ik zie bewegingen en ik hoor geluid.
Vage gedaanten gaan voorbij op de beeldbuis.
Eigenlijk zijn het niet meer dan schaduwen.
Ik kijk ademloos, met open ogen.
Ik luister met gespitste oren.
Swish, piep, tuut ... woesj ... trrrr ...
Dit is buitenaards.

Mijn tv vangt signalen van het ruimteschip op!
Nu kan ik hun plannen dwarsbomen!
De redding van de aarde gaat beginnen.
Opeens is het tv-scherm weer zwart.
Niks meer te zien, niks meer te horen.
Ik ben vreselijk opgewonden.
Zo erg, dat ik niet kan slapen.
Gelukkig val ik toch nog in slaap.

3. Tijddieven

Ik ben al heel vroeg wakker.
Nog vóór de wekker gaat.
Buiten is het pikdonker.
Alleen in het gebouw met het ruimteschip brandt licht.
Ik zie ze bewegen, de ruimtewezens.
Ze klauteren over hun ruimteschip.
Wat doen ze?
Het schip gaat langzaam omhoog.
Niet ver, een beetje maar.
Het zweeft in het donker.
Het dobbert als een badeendje.
Vreemd, heel vreemd.
De tv doet het niet en dat is jammer.
Ik had de ruimtewezens graag horen praten.
Een taal die klinkt als 'swisj' en 'piep', is moeilijk.
Zo moeilijk als Chinees.
Toch moet ik die taal zien te leren.
'Tom!' roept mijn moeder. 'Eten!'
Het was dus toch niet zo vroeg.
Beneden staat de klok al op acht uur.
Ik schrok mijn eten op en hol naar school.

In de pauze vertel ik over het ruimteschip.
Ik vertel wat er met mijn klok is gebeurd.
Niemand uit mijn klas luistert.

'Een ruimteschip,' zeggen ze.
'Typisch Tom!'
Dan hollen ze naar een hoek van het plein.
Daar staat een hele kluit kinderen.
Ik hol er ook maar heen en luister.
'Ik zag hem echt!' vertelt Jan de Zakenman.
Iedereen noemt hem zo omdat hij probeert geld te verdienen.
Daar wil hij een fantastische spaarpot voor kopen.
Ik heb hem ook gezien in de etalage bij oom Els.
De spaarpot kost erg veel geld.
'De ruiter zat op een paard zonder hoofd,' zegt Jan.
'Een páárd zonder hoofd?' lacht iemand.
'Nee sufferd, een ruiter zonder hoofd.
Het was een spook.
Het was hem zelf: de ruiter zonder hoofd.'
Sommige kinderen lachen.
Andere zijn onder de indruk en knikken.
De ene helft van de school gelooft het.
De andere helft niet.
Ik hoor bij die helft.
Spoken zijn onzin, dat weet iedereen.
Zeker als een jongen die rijk wil worden erin gelooft.
Toch gaat het verhaal over het hele plein.
Iedereen vindt het spook spannend.
Wat een onzin, allemaal!
Na de pauze is het computertijd.

Dat komt mooi uit.
Ik zoek alles over ruimteschepen.
Er staat heel veel op internet.
Te veel om aan te beginnen.
Daar heb je dus ook niks aan.
Op weg naar huis bekijk ik de flat.
Het ruimteschip staat weer op zijn plek.
Ik moet een manier vinden om dichtbij te komen.
Foto's maken van het ruimteschip en de bemanning.
Maar hoe?

Ook mijn moeder heeft het spookverhaal al gehoord.
Ze heeft het tijdens het eten over de ruiter.
'Leuk, hè, dat oude verhaal,' zegt ze.
'En weet je wat?'
Ik schud mijn hoofd.
'Ze zeggen ...' zegt mijn moeder geheimzinnig.
'Ze zeggen ...
Dat die herberg hiér was!'
Ik kijk haar aan.
Wie is hier nou een fantast?
'Hier, op deze plek stond vroeger een herberg.
Ons huis in een spookverhaal.
Is dat niet fantastisch?' zegt mijn moeder.

Ze is helemaal opgewonden.
Ik neem nog maar een boterham.

19

Jammer dat alle erwtensoep naar opa Sjon is.
Ik had nog wel wat gelust.
Ik luister niet meer naar mijn moeder.
Ik denk aan het ruimteschip.
Wat moet ik doen om ...
Er schiet me iets te binnen, iets heel simpels.
Een lift!
De flat heeft natuurlijk een lift.
Ik ga gewoon naar het dak.
Simpel!
Ik kijk op de klok.
Is het nu alweer één uur?
Belachelijk, ik ben net thuis!
Die ruimte-engerds moeten worden tegengehouden.
Straks stelen ze al onze tijd.
Op een holletje ga ik naar school.
Het ruimteschip is weg, zie ik.
Het vliegt nu natuurlijk boven de stad.
Overal verzamelt het schip tijd.
Ik snap nu wat die engerds willen.
Ze stelen al onze tijd.
Straks is onze tijd op.
Dan gaan we allemaal dood en is de aarde van hen.
Ha! Dat hadden ze gedacht.
Ik heb ze dóór!
En ik zal ze een lesje leren!
Ik ga een fantastische aanval verzinnen.

Eigenlijk moet ik het leger waarschuwen en de brandweer.

De politie moet ook worden ingeschakeld.

Maar ja, ik weet al wat die zal zeggen ...

Ik sta er praktisch alleen voor.

Niet eens praktisch, gewoon helemáál.

Maar ik ga het redden!

4. Man in de mist

Om halfvier sta ik bij de torenflat.
Buiten is het mistig.
Zo'n snijdende, grijze mist.
Het begint al een beetje schemerig te worden.
Hebben de buitenaardsen alweer tijd gestolen?
Ik ga de schuifdeuren door en kom in de hal.
Er zijn hoge planten en hoekjes met stoelen.
Achter in de hal zie ik liftdeuren.
Voor die deuren staat een toonbank met een man.
Hij heeft een streng gezicht.
Ik weet al waarom hij in de hal staat.
Om mensen tegen te houden, mensen zoals ik.
'Wat kom je doen?' vraagt de man.
Hij klinkt gelukkig aardiger dan hij kijkt.
Wat zal ik zeggen: 'Ik wil eventjes het dak op?'
Hij ziet me aankomen.
'Je kunt de pot op!' zal hij zeggen.
Daarom mompel ik maar wat voor me uit en zeg dat ik
verdwaald ben.
Op een holletje ga ik weer naar buiten.
De mist is dichter geworden.
Wat is dat idioot snel gegaan!
Je ziet bijna geen hand voor ogen.
Dit is niet normaal, als je het mij vraagt.
Ik weet zeker dat de ruimtewezens erachter zitten.

Er is geen mens meer op straat.
Dat snap ik best, het is ijzig koud.
In onze straat blijf ik stokstijf staan.
De mist is hier akelig dik.
Zo dik als erwtensoep, maar dan heel koude.
Er beweegt iets in de mist.
Een grijze figuur rukt aan alle deuren.
Die ziet natuurlijk geen hand voor ogen in deze mist.
Gek, je hoort ook helemaal niks nu het zo mistig is.
Ik zie de figuur rukken en duwen aan deurknoppen.
Toch klinkt er nergens geluid.
En wat ook zo raar is ...
Ik kan zijn gezicht niet zien.
Het lijkt of er steeds een mistflard voor zit.
Bij de deur van ons huis blijft hij staan.
Of is het het huis van de buren?
Ik weet het óók niet meer.
Ik doe een paar stappen vooruit.
Zou de figuur een inbreker zijn of een ruimtewezen?
Ik raap mijn moed bij elkaar.
Ik loop op de gedaante af.
De mist sliert om me heen.
Gek hoor, ik zie een lijf, maar geen hoofd.
En als ik vlakbij ben zie ik ...
Zie ik helemaal niets meer!
De gedaante is compleet verdwenen.
Ik kijk tien keer rond, maar de straat blíjft leeg.

Stomverbaasd ga ik naar binnen.
Mijn moeder kijkt me aan.
Ze heeft weer die blik in haar ogen.
De 'typisch Tom' blik.
'Er stond een vent voor de deur,' zeg ik.
'Hij was helemaal van mist.'
Nu kijkt mijn moeder niet eens meer.
Je ziet haar denken: ja hoor, typisch Tom.
'Ik denk dat het een ruimtewezen was.'
'Hè, schat, je fantaseert weer,' zegt ze.
Ik weet een heel goed en gemeen antwoord:
'Die ruiter zonder hoofd is zeker wel echt?' kan ik
zeggen.
Maar ik doe het niet.
Ik ga naar mijn kamer.
Wat moet je als je moeder in spoken gelooft?
En niet in ruimtewezens?
Dan is zo'n moeder toch ráár?
Ik zet de tv aan.
Er gebeurt niks.

Ook na het eten is er niets op de tv.
Mama vraagt of ik bij opa Sjon de pan wil ophalen.
Dat doe ik dan maar.
Ik verdwaal twee keer bijna, zo mistig is het.
Als ik bij opa Sjon ben, heb ik het ijskoud.
Opa Sjon is in een rare bui.

Hij heeft zijn stoel bij het raam gezet.
Hij kijkt de hele tijd naar buiten.
Niks te zien daar, alles pikkedonker en mistig.
'Kijk!' zegt hij.
'Zie je hem, hij staat daar!'
Ik sta bij de kachel warm te worden.
Ik zie niks.
'Wie dan, opa?' vraag ik.
'De ruiter zonder hoofd!
Hij rammelt aan alle deuren!'
'Ja hoor, opa,' zeg ik.
Uit beleefdheid kijk ik even mee door het raam.
Niks anders te zien dan wat mistflarden.
'Misschien wordt de vloek wel verbroken,' zegt opa.
'De vloek, wat dan, hoe dan?' vraag ik.
'Hij wil zijn hoofd terug!' zegt opa.
'Daarom spookt hij al die eeuwen rond.
Misschien vindt hij zijn hoofd nu eindelijk.'
Ik zucht.
Waarom zou hij het na al die eeuwen nu vinden?
Een moeder en een opa die in spoken geloven.
Het moet niet veel gekker worden.
En wie moet de wereld in zijn eentje redden?
Ik ...

'Je bent laat,' zegt mijn moeder als ik thuis kom.
'Idioot laat.'

Ze heeft gelijk, het is heel laat.
Hoe kan dat nou toch?
'En de pan?' vraagt mijn moeder.
Ach, de pan!
Helemaal vergeten.

Hoe stelen de ruimtewezens onze tijd?
Als ik in bed lig, floept de tv aan.
Ik zie een schaduw rondwaren, net als gisteren.
Er wordt 'geswist' en 'geswast'.
Ik kijk tot ik niks meer zie omdat ik slaap.

5. Fotograaf van de schoolkrant

Ik word wakker met een plan om de flat in te komen.
Ik heb nog een camera met een filmpje erin.
Het was een verjaardagscadeautje.
Mijn plan is simpel en geweldig.
Straks ga ik naar het flatgebouw.
Het is woensdag, dus ik heb vanmiddag vrij.
'Ik kom voor de schoolkrant,' zal ik zeggen.
'We gaan over uw flat schrijven.
Ik wil een foto maken van het uitzicht, kan dat?'
De man achter de balie wil dat vast graag.
Wie wil er nou niet in de krant?
Hij zal me naar het dak brengen.
Daar is het uitzicht natuurlijk het mooist.
Ik kan foto's maken van het ruimteschip.

Om halfeen gaat de school uit.
Ik hol naar huis, want ik heb weinig tijd.
Voor je het weet is het zes uur.
Met al die gestolen tijd is een middag zó om.
Natuurlijk moet ik eerst een boterham eten.
Pas dan mag ik weg van mijn moeder.
Voor de deur van de torenflat blijf ik staan.
Ik adem diep in en trek een ernstig gezicht.
Hier komt de fotograaf van de krant.
Ik stap naar voren en de deuren schuiven open.

Plechtig en statig loop ik naar de balie.

Ik zie er heel echt uit, geloof ik.

De man achter de balie gaat rechtop staan en zegt: 'Ja?'

'Ik kom van de schoolkrant, u weet wel,' zeg ik.

'Voor een foto van het uitzicht.

Er is over gebeld.'

Dat is slim van me, zeggen dat erover gebeld is.

De man pakt een dikke agenda en bladert erin.

Dan muist hij over zijn computerscherm.

'Eh, wat was er dan voor afspraak waar over gebeld is?'

'Ik kom een foto van het uitzicht maken,' zeg ik nog maar eens.

Hij kijkt me onderzoekend aan.

'Het uitzicht vanaf het dak, bedoel je?'

Ik knik, want dit is precies waarop ik had gehoopt.

Hij kijkt nog eens in het boek en op het scherm.

'Tja, de meneer die daarover gaat, is er niet.

Ik mag je niet zomaar het dak op sturen.'

'Ja maar ...' zeg ik, 'er is over gebeld.

Ik mocht het ruimteschip fotograferen om de wereld te redden!'

Ik heb het gezegd voor ik het wist.

Sukkel, Tom, typisch Tom, om je mond voorbij te praten.

Nu kan ik het wel schudden.

De man bekijkt me héél achterdochtig.

'Een ruimteschip ... op het dák?'

Ik heb het verknald, ik weet het.
Ik draai me om en loop weg.
De schuifdeuren willen niet eens open.
Zo veel haast heb ik om buiten te komen.

Stomme sufferd die ik ben.
Nu zal de man achter de balie me voorgoed herkennen.
Hij zal iedere keer denken: daar heb je die rare Tom
weer.
Dat jongetje mag nóóit naar het dak.
En hij weet niet eens dat ik Tom heet ...
Buiten neem ik toch maar een paar foto's.
Als het filmpje vol is, haal ik het uit het toestel.
Ik loop naar de sigarenwinkel.
Daar kun je foto's laten ontwikkelen.
Thuis ga ik op mijn kamer zitten.
Ik maak een tekening van de buitenaardse tijdmachine.
Hoe ziet een apparaat dat tijd steelt, eruit?
Rond, denk ik en van metaal.
Een vreemd, buitenlands metaal.
Als ik klaar ben, heb ik een vreemd apparaat op papier
staan.
Het is echt buitenaards, dat zie je zó.
Waar verberg je zo'n apparaat?
Ergens waar veel antennes staan, misschien.
Het kan ook begraven worden, dan ziet niemand het.
Natuurlijk, dat is het!

De tijdmachine zit ergens onder de grond.

Maar waar?

Of zijn er overal in de stad tijdmachines?

In elke stad één, of misschien wel in elke straat?

Wie weet, staat er bij elk huis wel een!

Ik wil de straat op om te gaan kijken, maar ik mag niet.

Het is te laat, vindt mijn moeder.

'Je ziet toch niks meer buiten,' zegt ze.

Ik ga naar de zolder en tuur door het dakraam.

Antennes zie je hier nergens.

Ook geen vreemde, ronde metalen apparaten.

Ik zou zo'n tijdmachine in handen moeten krijgen.

Als ik naar bed ga, probeer ik de tv aan de praat te krijgen.

Hij doet het nog steeds niet.

Mijn moeder komt me nog even instoppen.

'Niet eng dromen, hoor,' zegt ze.

Ik kijk haar verbaasd aan.

'Over de ruiter zonder hoofd!'

Ik laat me met een zucht op mijn kussen vallen.

'Spoken, mam, ik geloof niet in spoken!'

6. De kelder

Het is midden in de nacht.
Is het nóu al midden in de nacht?
Ik slaap nog maar net!
De tijdmachine moet wel op volle kracht werken.
Waarom ben ik eigenlijk wakker?
Als ik de kamer rondkijk, weet ik het.
De televisie doet het weer!
Hij doet het beter dan ooit.
Het beeld is zwart-wit maar het is wel scherp.
Zo scherp alsof er mist hangt voor de buis.
Ik zie mensen bewegen, nou ja, wezens.
En ik hoor een stem die fluistert.
Sprak ik nou maar buitenaards, dan verstond ik iets.
Tot mijn verbazing versta ik opeens een paar woorden.
De buitenaardsen hebben Nederlands geleerd.
Ik spits mijn oren.
'Zoek,' fluistert een buitenaardse stem.
'Zoek, het ligt onder onze voeten ...'
'Zóék!'
Het klinkt dreigend en dringend.
Ik sta al haast naast mijn bed om te zoeken.
Wat moet er eigenlijk gezocht worden?
Is er iets kwijt, en wat dan?
Natuurlijk, de tijdmachine.
De buitenaardsen zijn een tijdmachine kwijt.

Ik snap dat wel.

Je komt aan op een nieuwe planeet.

Haastig verstop je overal je tijdmachines.

In je haast vergeet je waar ze precies staan.

Nu is er één niet meer te vinden.

'Zoek ... zoek dan,' zegt de stem.

De tv geeft wel een akelig goed geluid.

Het lijkt of de stem niet uit de luidsprekers komt.

Het is net of hij in de kamer rondzweeft.

Jakkes, wat zijn die buitenaardsen engerds.

Het beeld op de tv blijft maar vaag en mistig.

Zou daar nou niks aan te doen zijn?

Terwijl ik naar de buis kijk, hoor ik de stem.

Hij gaat mijn kamer door en klinkt nu bij de deur.

Ik glijd uit bed.

Dit kan geen geluidseffect zijn, dit is echt.

Ik begrijp opeens weer iets meer.

Nu weet ik hoe de buitenaardsen werken.

Ze gebruiken de televisies!

Ze kruipen naar buiten door de beeldbuis.

Ze planten een tijdmachine en gaan weer weg.

Mijn tv werkt niet goed.

De tijdmachine zal dus ook niet goed verborgen zijn.

Hij is ergens hier in huis, maar waar?

Op mijn tenen ga ik achter het geluid aan.

Gelukkig slaapt mijn moeder al.

Die hoort namelijk altijd alles.

Ik glijd langs de trapleuning omlaag.
Zelfs de zesde trede kraakt niet, zo zachtjes doe ik.
Het geluid gaat voor me uit.
Het blijft een zacht mompelen: 'Zoek ... zoek dan ...'
Ik zie niks, want het is hartstikke donker.
Dan, opeens, is alles stil.
Ik sta midden in de gang, ongeveer bij de kelderdeur.
De kelder is niet mijn favoriete plek.
Er zitten spinnen, het is er vochtig en duister.
Moet ik echt de kelder in?
Laat maar, morgen ga ik wel zoeken.
Ik sluip terug naar bed.

De volgende ochtend ben ik al heel vroeg op.
Het lijkt of ik niet eens geslapen heb.
Zó snel is de nacht voorbijgegaan.
Ik schiet in mijn kleren en ga de trap af.
In de kelder is het zelfs 's ochtends naar.
Het is er donker en een beetje spookachtig.
Gelukkig geloof ik niet in spoken.
Ik ga omlaag en loop naar het luik.
Waarom dat luik in de keldervloer zit, weet ik niet.
Het is er gewoon.
Altijd al geweest.
Ik pak de ring die in het luik geschroefd is.
Ik probeer het luik omhoog te trekken maar dat gaat
niet.

Het luik zit muurvast.
Terwijl ik ruk en trek, hoor ik mijn moeder.
'Tom, kom je ontbijten?
Je moet zo naar school!'
Belachelijk, ik was toch vroeg opgestaan?
Ik moet die buitenaardse wezens nu echt snel tegen-
houden.
Er blijft geen tijd meer over.
Eén ding is wel een voordeel: de ochtend is zo om.
Voor ik het weet, ben ik alweer tussen de middag thuis.
Mijn moeder is er niet.
Er ligt een briefje op tafel.

Tom je eten staat klaar.
Ga je op tijd naar school?
Ik ben vanmiddag laat thuis.
Ga je iets nuttigs doen en niet voor de tv hangen?
Mams

Nou, reken maar mams, dat ik heel nuttige dingen ga
doen.

38

7. Graven

Net als ik naar school wil, staat opa Sjon voor de deur.
'Ik kom de pan terugbrengen,' zegt hij.
'Ik heb hem voor jullie afgewassen.'
Met bezorgde ogen kijkt hij me aan.
'Het is bijna zover,' fluistert hij geheimzinnig.
'Vannacht is de laatste nacht van de ruiter zonder hoofd.
Denk jij dat hij zijn hoofd zal terugvinden?'
Ik weet het niet, dus dat zeg ik maar eerlijk.
'Ik weet het niet, opa Sjon.'
'Pas op, Tom, pas heel goed op vannacht,' zegt opa Sjon.
Dan sjokt hij de straat uit.
Ik zet de pan in de keuken en loop naar school.
Op het plein gaat het ook al over dat spook zonder
hoofd.
'Vannacht!' zegt iedereen geheimzinnig.
'Vannacht kan hij het hoofd vinden!'
 Waar mensen zich druk over maken, terwijl de tijd
gestolen wordt!*

Aan het eind van de middag, op weg naar huis, blijf ik
bij de torenflat staan.
Het ruimteschip is er nog steeds.
Het staat op het dak als een rare, vierkante kroon.
Een mevrouw tuurt op haar horloge.
Ik hoor haar iets mompelen.

'U bent zeker te laat voor een afspraak?' vraag ik.
'Ja,' zegt de mevrouw verbaasd en in de war.
'En ik ben toch op tijd van huis vertrokken ...'
Ik knik en loop door.
Zie je nou wel, het ligt niet aan mij.
Andere mensen hebben er net zo goed last van.

Thuis is het heerlijk stil zo zonder mijn moeder.
Toch vind ik het ook wel een beetje eenzaam.
Ik zet de tv aan, want dan heb je lekker herrie.
Een van mijn lievelingsseries begint net.
Van mijn moeder mag ik er bijna nooit naar kijken.
Daarom doe ik het nu maar even.
Ik lach me suf.
De serie erna is ook alweer zo grappig.
Midden in de vierde serie, gaat de telefoon.
Het is mijn moeder.
'Tom, ik sta naast de file.'
'Nou, dat is beter dan ín de file,' zeg ik.
'Nee, schat, ik sta op de vluchtstrook.
De auto heeft het begeven.
Ik heb geen idee of hij gemaakt kan worden.
En wanneer ik dan thuis ben.
Het kon nog wel eens flink laat worden.
Red jij het in je eentje?'
Zie je nou, we hadden die erwtensoep nooit aan opa
Sjon moeten geven.

Nu hebben we geen eten in huis.
'Er ligt eten in de diepvries,' zegt mijn moeder.
'Gewoon in de magnetron zetten.
Op de verpakking staat hoelang.'
Ik doe wat ik anders nooit mag: eten bij de tv.
Ik kijk alle series die ik anders nooit te zien krijg.
De tijd vliegt.
Sufferd die ik ben!
Typisch Tom: tv-kijken terwijl ik de wereld moet
redden.
Ik zou iets nuttigs gaan doen en wat heb ik gedaan?
Niks, helemaal niks.
Misschien is het nog niet te laat.
Buiten is de wereld weer grijs van de mist.
Ik zie gedaanten schuifelen.
Zijn het mensen, spoken of buitenaardse wezens?
Spoken zijn het gelukkig niet omdat die niet bestaan.
Nou ja, geen tijd om daarover te denken.
(Zie je alwéér geen tijd!)
Ik ga op zoek naar een schep.
In de schuur vind ik er eentje.
Het is een kinderschepje van vroeger.
Ik hoop dat ik ermee kan scheppen.
Nu moet ik het luik zien open te krijgen.
Wat heb ik daarvoor nodig?
Een stevige stok om te kunnen wrikken.
Die vind ik ook in de schuur.

Het is de droogmolen, maar dat geeft niet.
Met mijn armen vol ga ik naar de kelder.

8. Een schat onder het luik

Was het vanochtend ook zo donker in de kelder?
Het moet haast wel.
Toen was het zeven uur 's ochtends.
Nu is het bijna negen uur 's avonds.
In de kelder steek ik de stok van de droogmolen door de ring van het luik.
Ik begin te wrikken.
Dat is nog een hele klus.
Het luik zit muurvast.
Hoe hebben de buitenaardsen het ooit open gekregen?
Ach, ik snap het al.
Ze hebben het luik natuurlijk stevig dichtgemaakt.
Om mij te laten denken dat het al heel lang niet open is geweest.
Ik zet nog een keer kracht.
Net als ik wil opgeven, voel ik beweging.
Het luik geeft mee!
Ik ga met mijn hele gewicht aan de stok hangen.
Langzaam en kreunend als een ouwe vent komt het luik omhoog.
Het is donker onder het luik.
Nog donkerder dan in de kelder.
Daar brandt tenminste nog een lampje.
Onder het luik brandt niks.
Mijn zaklantaarn ben ik al een poosje kwijt.

Ik ga hem voor de zekerheid nog zoeken maar ik vind niks.

Dat wist ik natuurlijk wel.

In de keuken pak ik lucifers.

Op mijn knieën zit ik even later bij het luik.

Lucifers zijn nogal snel op.

En je ziet eigenlijk niks.

Zeker niet als de kuil onder je diep is.

Durf ik me erin te laten zakken?

Ik ben alleen thuis.

Er zwerft een spook rond waar ik niet in geloof.

Er zijn buitenaardse wezens.

Stel dat ze een alarmsysteem hebben?

Dat ze het merken als een mens aan hun spullen zit?

Dan komen ze dadelijk binnen stormen.

Ik moet maar heel snel aan het werk.

Stel je voor dat mijn moeder thuiskomt.

Dat is bijna net zo erg als een buitenaards wezen.

Ik laat me over de rand van het luik zakken.

Mijn voeten komen neer op zand en brokken steen.

Met mijn schepje begin ik te scheppen.

Waar ik precies schep, weet ik niet.

Ik zie niet wat ik doe, ik voel het alleen.

De schep die in het zand zakt en het zand op mijn schouder.

Ik schep het nogal slordig over me heen.

Dan zegt de schep opeens 'tok'.

Ik steek hem nog eens in de grond en hoor alweer 'tok'.
Ik heb iets gevonden!
Dat het zo donker is, vind ik opeens niet meer erg.
Ik ga op mijn knieën zitten.
Ik graaf en krabbel en grabbel.
Onder mijn vingers voel ik iets glads.
Het voelt als een tijdmachine.
De machine die de buitenaardse wezens verstopt hebben!
Mijn hart begint te bonzen.
Eindelijk heb ik het bewijs dat ik gelijk had!
Het is nog een heel gedoe om de tijdmachine uit de
grond te krijgen.
Hij is net zo glad als ik gedacht had.
Hij is alleen niet zo rond.
Hij is rond met hoeken en plat van onderen.
Ik zet hem op de rand van het luik.
Ik hijs mezelf op.
Mijn hart rikketikt.
De wildste gedachten gaan door mijn hoofd.
Ik moet meteen naar de politie.
Het leger moet gewaarschuwd worden.
Geleerden kunnen de machine onderzoeken.
Morgen sta ik in de krant en kom ik op het
Jeugdjournaal.
Ik ... ik word een held!
Met trillende vingers strijk ik een lucifer af.
Het vlammetje bibbert, ik zie even niks.

Dan laat ik de lucifer vallen terwijl ik een gil geef.
Ik kan er niks aan doen, ik schrik me kapot.
Wat ik uit het luik heb gehaald is een ...
Is een ...
Een doodshoofd!
Ik heb geen machine gevonden, maar een schedel!

9. Gefluister in de gang

De bel gaat.
Ik schrik me het apezuur.
Moet ik opendoen, moet ik niet opendoen?
Ik kom overeind en ga de kelder uit.
Door het raampje in de deur zie ik een bekend gezicht.
Opa Sjon loert naar binnen.
Gelukkig, hij is het maar.
'Ha Tom,' zegt opa Sjon.
'Je moeder belde net, ze is héél laat thuis.
Ik kom gezellig op je passen.'
Ik ben zó blij, dat ik haast tranen in mijn ogen krijg.
Samen gaan we op de bank in de huiskamer zitten en ik
zet de tv aan.
Er is een film, maar de ontvangst is wel erg slecht.
'Komt door hem,' zegt opa.
'Door de ruiter zonder hoofd.
Nog één nacht en dan is het weer voor zeven jaar over.
Zou hij vannacht zijn hoofd vinden?
Zal hij eindelijk rust krijgen?'
Typisch opa Sjon.
Zó oud en nog steeds in spoken geloven.

'Zullen we chips eten, ze liggen beneden,' zeg ik.
'In de kelder?
Dan haal ik ze wel even,' zegt opa Sjon.

'Het is daar te griezelig voor jou.'

Hij moest eens weten hoe gelijk hij heeft.

Ik probeer opa Sjon tegen te houden.

'Laat maar,' zeg ik.

'Ik heb eigenlijk geen honger.'

Opa Sjon luistert niet naar me.

Hij sloft naar de deur en gaat de gang op.

Ik ga met hem mee en dans om hem heen.

Als hij de schedel ziet ...

We komen niet erg ver.

Het lijkt of er een raam open staat, beneden.

De hele gang is vol mist gelopen.

Het is koud en je ziet haast niets.

Opa Sjon staat stokstijf stil.

Hij heft een vinger op en zegt: 'Hoor!'

Ik hoor, maar ik hoor niks.

'Hij is hier,' fluistert opa Sjon.

'De ruiter zonder hoofd is hier!

Hoor je hem niet?'

Ik spits mijn oren.

Vaag hoor ik gefluister.

Iets als: 'Zoek ... zoek ...

Ach, dat is natuurlijk de tv op mijn slaapkamer.

Die is weer aan gegaan.

De buitenaardsen zoeken nog steeds hun tijdmachine.

Ik kan mijn gedachte niet afmaken.

Er klinkt een vreemde kreet, een lege lach.

Dan horen we het getrappel van paardenhoeven.
Hol en galmend gaat een paard voorbij in de nacht.
Opa Sjon staat zo bleek als was in de gang.
Hij houdt zich vast aan de kelderdeur.
De deur gaat heen en weer en opa Sjon ook.
Hij ziet er erg geschrokken uit.
Heeft hij de schedel bij het luik gezien?
Ik gluur om de deur en dan wankel ik zelf ook.
Het doodshoofd is er niet meer.
Boven begint de tv opeens luidkeels te spelen.
Ik hol de trap op.
Het beeld van mijn tv is eindelijk helder.
Ik zie een donkere straat en een man op een paard.
Hij heeft zijn handen op zijn hoofd gelegd.
Net alsof hij bang is dat het eraf valt als hij loslaat.
Het paard laat zijn hoeven klepperen.
De man slaakt een woeste kreet.
Ik heb geen idee welke film dit is.
En waarom zie ik mijn buitenaardse wezens niet meer?
Dan gaat het paard in galop.
Het kleppert de donkere straat uit.
Gek, het lijkt ónze straat wel en óns huis waar de ruiter
stond.
Ik krijg de kans niet om goed te kijken want mijn tv
zegt 'poef'.
Ik zie een felle, witte lichtflits.
De tv begint erg te stinken en er is niks meer op te zien.

Ik denk dat hij nu echt stuk is.
Daar gaat mijn contact met de buitenaardsen!

10. Glazenwassers

Als mijn moeder thuiskomt, is het laat, heel laat.
Ik word naar bed gestuurd.
Opa Sjon blijft nog lang op visite.
Ik hoor hem beneden met mijn moeder praten.
'Er ging een spookruiter door de straat,' zegt opa.
'Ik zag het zelf.
Tom was even naar boven en toen hoorde ik paarden-
hoeven.
Het was de ruiter, echt waar.
En hij had een hoofd op zijn schouders!'
Mijn moeder stelt opgewonden vragen.
Over hoe het spook eruitzag en of het ooit terug zal
komen.
En waar hij naartoe zou zijn, wil ze weten.
Ik geloof mijn oren niet.
Twee grote mensen die het over spoken hebben ...

Ik lig in bed en loer naar mijn tv, die niks doet.
Wat heb ik toch weer een ongelooflijke pech.
Nu heb ik geen bewijs dat er buitenaardsen zijn.
Geen tijdmachine en geen buitenaardse beelden.
Typisch iets voor mij: altijd pech en niemand die me
ooit gelooft.
Ik val in slaap terwijl ik opa Sjon en mijn moeder nog
hoor praten.

Ze vragen zich af of de ruiter zonder hoofd ooit nog terugkomt.

Ik ben een beetje moe als ik naar school moet.
Toch een beetje te laat gaan slapen, gisteren.
Bij de torenflat blijf ik staan.
Het ruimteschip is er nog steeds.
Je zult zien dat ik te laat op school kom.
De tijd wordt nog steeds gestolen en ik kan er niks meer aan doen.
'Hé,' zegt een stem achter me, 'ben jij niet dat jongetje?'
Ik kijk om.
Er staat een man achter me.
Ik ken hem niet.
Is hij een vermomd buitenaards wezen?
Die buitenaardsen kennen me natuurlijk wel.
'Herken je me niet?' vraagt de man.
'Ik werk dáár, weet je wel?
Jij bent de fotograaf van de schoolkrant.
Je kwam om een ruimteschip te fotograferen.'
Nu herken ik de man.
'Ik ben op het dak geweest,' zegt de man.
'Omdat je je verhaal zo ernstig vertelde.
Maar er staat daar niets.
Alleen het mandje van de glazenwassers.
Kijk maar.'
Hij wijst naar het ruimteschip.

Ik kijk naar de torenflat, naar de man en weer terug.

'Wat is dat?' vraag ik een beetje suf.

'Het mandje van de glazenwassers,' zegt de man.

Dat takelen we steeds een stukje omlaag en zo doen de glazenwassers hun werk.

Heb je nog even tijd?

Ze beginnen dadelijk.'

'Tijd,' zeg ik, 'nee, het is vast alweer te laat.'

De man kijkt op zijn horloge en zegt: 'Het is nog lang geen schooltijd.'

Ik kijk mee.

Hij heeft gelijk.

Het is nog lang geen halfnegen.

Wat ráár, wat ráár.

Opeens gaan er in het ruimteschip lichtjes aan.

Het zweeft een beetje omhoog en zwaait dan over de rand van de flat.

Het blijft hangen voor de ramen op de hoogste verdieping.

'Kijk,' zegt de man van de flat.

'Zie je de glazenwassers?'

Ik kijk en ik zie ze.

Mannen in blauwe overalls.

'Nou,' zegt de man, 'ben je nu gerustgesteld?'

Ik knik zonder iets te zeggen en loop door.

Een bak voor de glazenwassers!

Ik sjok naar school.

Alle tijd.

Misschien moet ik eens om een horloge vragen.

Ik had een held kunnen worden.

De mensen redden, dát was mijn taak.

En wat is er van terecht gekomen?

Ik heb een doodshoofd in de kelder gevonden.

Nou ja, dat dacht ik maar.

Dat doodshoofd was er niet eens.

Ik zal het wel verzonnen hebben, net als het ruimteschip.

Ruim op tijd sta ik op het schoolplein.

Iedereen heeft het over de ruiter zonder hoofd.

Er zijn kinderen die gisteren een spook mét een hoofd
hebben zien rijden.

Ik hou mijn mond maar.

Ik weet precies wat ze zullen zeggen als ik over de
schedel vertel.

'Typisch Tom,' zullen ze zeggen.

'Fantast!'

Naam: *Tom*
Ik woon met: *mijn ouders*
Dit doe ik het liefst: *geheimen ontdekken*
Hier heb ik een hekel aan: *mensen die me niet geloven*
Later word ik: *redder van de wereld*
In de klas zit ik naast: *Els*

Een jongen bij Tom in de klas heet Jan (zie pagina 18). Iedereen noemt hem Jan de zakenman, omdat hij heel slim geld kan verdienen. Ben je benieuwd naar zijn verhaal? lees dan 'Jan de zakenman'.

Jan de zakenman

AVI 6

1e druk 2005

ISBN 90.276.6019.0
NUR 282

© 2005 Tekst: Bies van Ede
Illustraties: Els van Egeraat
Vormgeving: Rob Galema
Uitgeverij Zwijsen B.V. Tilburg

Voor België:
Zwijsen-Infoboek, Meerhout
D/2005/1919/159